Ingo Siegner

Der kleine Drache Kokosnuss
im Weltraum

Ingo Siegner

Der kleine Drache Kokosnuss
im Weltraum

cbj

Bei diesem Buch wurden die durch das verwendete Material und die Produktion entstandenen CO_2-Emissionen ausgeglichen, indem der cbj Verlag ein Projekt zur Aufforstung in Brasilien unterstützt. Weitere Informationen zu dem Projekt unter: www.ClimatePartner.com/14044-1912-1001

Penguin Random House Verlagsgruppe
FSC® N001967

Dank an Martin Lindenberg
für den Anstoß zu dieser Geschichte

14. Auflage
© 2012 cbj Kinder- und Jugendbuchverlag in der Penguin Random House Verlagsgruppe GmbH, Neumarkter Str. 28, 81673 München
Alle Rechte vorbehalten
Umschlagbild und Innenillustrationen: Ingo Siegner
Lektorat: Hjördis Fremgen
Umschlagkonzeption: basic-book-design, Karl Müller-Bussdorf
hf · Herstellung: hag
Satz und Reproduktion: Lorenz & Zeller, Inning a. A.
Druck: Grafisches Centrum Cuno GmbH & Co. KG, Calbe
ISBN 978-3-570-15283-6
Printed in Germany

www.cbj-verlag.de
www.drache-kokosnuss.de
www.youtube.com/drachekokosnuss
Dieses Buch ist auch als E-Book erhältlich

Inhalt

Bobbi von der Zitterpappel

In einer mondlosen Nacht liegt die Drachen-
insel wie ein kleiner winziger Punkt im riesigen
Ozean. Der kleine Drache Kokosnuss, das
Stachelschwein Matilda und Oskar, der Fress-
drache, sitzen zu Füßen ihrer Lieblingspalme am
Strand, trinken Kokosmilch und beobachten den
Sternenhimmel. Heute ist nämlich die Nacht der
Sternschnuppen.[1]
»Wie viele Sterne es wohl gibt?«, fragt Kokos-
nuss.
»Also«, sagt Matilda, »es gibt wahrscheinlich
mehr als hundert Milliarden Galaxien. Und jede
Galaxie hat Milliarden Sterne und Planeten.«
Oskar blickt das Stachelschwein an und brummt:
»So viele Sterne sind das aber nicht dort oben.«
»Man sieht ja auch nicht alle«, sagt Matilda.

---

[1] Sternschnuppen sind zu sehen, wenn Gesteinsbrocken oder andere
Objekte aus dem Weltall in die Erdatmosphäre geraten. Ein großer Teil
verglüht dabei und es entsteht ein heller Schweif.

»Da ist eine!«, ruft Oskar und zeigt auf eine Sternschnuppe, deren kleiner Schweif nur kurz aufscheint, bevor sie ganz verschwindet.

Die Freunde kneifen die Augen zusammen und wünschen sich heimlich etwas.

»Da!«, ruft Kokosnuss. »Noch eine!«

Diesmal ist es eine Sternschnuppe mit einem großen, hellen Schweif.

»Ui!«, staunt Matilda. »Die leuchtet aber lange!«

»Die hört ja gar nicht mehr auf«, sagt Oskar.

Kokosnuss springt auf und ruft: »Die kommt auf uns zu!«

Tatsächlich – die Sternschnuppe ist gar keine Sternschnuppe, sondern ein zischendes, rauchendes Dingsbums, das auf die Dracheninsel zurast.

»In Deckung!«, schreit Kokosnuss.

Die Freunde springen hinter einen Felsen. Ein ohrenbetäubender Lärm erfüllt die Luft. Es kracht, es rumpumpelt und krawummt, dass ihnen die Ohren dröhnen. Plötzlich ist es still. Nur ab und an dringt ein leises Zischen herüber. Vorsichtig linsen Kokosnuss, Matilda und Oskar zum Strand.

»Ui«, flüstert Kokosnuss.

»Eijeijei«, flüstert Matilda.

»Ojojoj«, flüstert Oskar.

Ein großes Flugobjekt ist auf den Strand gekracht, genau auf ihre Lieblingspalme.

Matilda ist traurig. »Unsere arme Palme! Jetzt werden wir nie wieder darunter sitzen können!«

Auch das Flugobjekt ist demoliert. Ein Fahrgestell ist abgebrochen. Vorn ist es zerbeult und an mehreren Stellen tritt Qualm aus. Es hat kleine runde Fenster und eine Antenne auf dem Dach.

Kokosnuss beobachtet die Fenster.

»Da hat sich etwas bewegt«, flüstert er.

»Igitti, Außerirdische«, flüstert Matilda.

»Wieso igitti?«, fragt Oskar.

»Die sollen doch so glitschig und glibberig sein. Ihr Schleim ist grün und giftig. Und die sehen richtig eklig aus, wie Glitschmonster, igittigittigitt!« Plötzlich erscheinen in einem Loch der Außenwand ein paar grüne Hände.

»Grün«, flüstert Matilda. »Büh!«

Jetzt lugt ein gläserner Helm heraus. Zuerst
erkennen die Freunde eine kleine Antenne, dann
ein rundes gelbes Lämpchen auf einer blauen
Kappe, darunter zwei große Augen hinter einer
Brille und nun ein grünes Gesicht mit einer
langen, insektenhaften Nase, an deren Spitze
ein kleiner Greifer sitzt. Während die Nase sich
unaufhörlich hin und her bewegt, suchen die
Augen die Umgebung ab.

»Hab ich's doch gleich gesagt«, flüstert Matilda.

»Was?«, fragt Oskar.

»Das ist ein Außerirdischer und der sieht ziemlich gefährlich aus. Die Nase hat bestimmt einen Stachel und der ist giftig wie sonst was!«

»Der sieht doch ganz freundlich aus«, flüstert Kokosnuss.

»Freundlich? Mit der Nase?«

Der Außerirdische blickt in ihre Richtung. Die Freunde ducken sich.

»Jöppi Jöppi!«, ruft der Außerirdische.

»Was soll das denn heißen?«, flüstert Oskar.

Da richtet Kokosnuss sich auf und ruft: »Jöppi Jöppi!«

Matilda schluckt. »Kokosnuss, bist du lebensmüde?«

Der Außerirdische ruft: »Pimpelpup!«

Leise wiederholt Matilda: »Pimpelpup?«

»Außerirdischen-Sprache«, flüstert Oskar.

Kokosnuss ruft: »Pimpelpup!«

Der Außerirdische quiekt fröhlich und schwebt aus dem Flugobjekt heraus. Er steckt in einem

blauen Anzug
und auf dem
Rücken ist
ein Düsen-
antrieb fest-
geschnallt.
Langsam fliegt
er auf Kokos-
nuss zu. Der
kleine Drache
holt tief Luft.
Wenn es gefährlich
wird, überlegt er,
dann speie ich Feuer.
Das fremde Wesen
landet nur zwei Schritte
von Kokosnuss entfernt. Es ist
so groß wie ein kleiner Drache
und sieht wirklich nicht sehr gefährlich aus, doch Matilda und Oskar
bleiben sicherheitshalber hinter dem Felsen.
Wer weiß!

Der Außerirdische legt Helm und Düsenantrieb ab und sagt: »Klapimpel knöx iwoppel knickeliki Bobbipuzzipappele!«

»Äh«, stottert Kokosnuss, »und ich heiße Kokosnuss.«

Der Außerirdische zieht ein kleines, längliches Gerät aus seinem Gürtel und sagt: »Pimpel schnappi knickknick?«

»Kokosnuss«, flüstert Matilda. »Schnappi knickknick klingt nicht gut!«

Da bewegen sich die Ohren des Außerirdischen. Er blickt hinter den Felsen und entdeckt Matilda und Oskar.

»Knickeliki Bobbipuzzipappele!«, ruft er freudig und schwingt seine Arme.

»Das sind Matilda und Oskar, meine Freunde«, sagt Kokosnuss.

Der Außerirdische hält das Gerät in die Luft und sagt mit einem fragenden Blick: »Schnappi knickknick pömpelpim?«

»Äh, na gut«, sagt Kokosnuss und nickt zögernd. Das grüne Wesen kommt näher und hält das

Gerät an Kokosnuss' Bauch. Das Gerät leuchtet rot und gelb auf.

»Das kitzelt, hihihi«, kichert Kokosnuss.

»Au Backe«, sagt Matilda. »Jetzt bist du gleich Antimaterie[2] oder so was.«

Doch Kokosnuss bleibt Kokosnuss und der Außerirdische steckt das Gerät wieder in seinen Gürtel.

»Freut mich, eure Bekanntschaft zu machen. Wie ich schon sagte, mein Name ist Bobbipuzzipappele. Ihr könnt mich auch Bobbi nennen. Ich bin ein Pappelaner und komme vom Planeten Zitterpappel.«

Matilda und Oskar kommen staunend hervor.

»Woher kannst du plötzlich unsere Sprache?«, fragt Kokosnuss.

»Übertragung mit meinem Laserphaser[3]«, antwortet der Pappelaner Bobbi und zeigt auf das

---

[2] Antimaterie wird »Anti-ma-teri-e« ausgesprochen. Aber was das genau ist, weiß Matilda ehrlich gesagt auch nicht.
[3] Das wird »Leserfeser« ausgesprochen und ist ein Spezialgerät der Pappelaner.

kleine Gerät. »Ich weiß jetzt alles, was der kleine Drache Kokosnuss weiß. Nur Feuer speien und fliegen kann ich nicht.«

»Dafür hast du ein Raumschiff«, sagt Oskar. Die Freunde blicken auf die lädierte Maschine, die qualmend und zischend im Sand steckt. Bobbi lässt die Schultern hängen und seufzt.

»Der Raumgleiter. Er gehört meinem Vater. Ich habe versprochen, ihn heile zurückzubringen.« Der Pappelaner plumpst missmutig in den Sand. »Jetzt ist er kaputt und ich komme hier nicht mehr weg.«

»Den kann man bestimmt reparieren«, sagt Kokosnuss.

»Ach«, seufzt Bobbi, »das Fahrgestell und die Beulen sind das Geringste! Viel schlimmer ist, dass der Bordcomputer defekt ist. Jetzt kann ich den Raumgleiter nicht mehr allein fliegen. Es geht nur mit vier Piloten!«

Kokosnuss blickt nacheinander Matilda, Oskar und Bobbi an und zählt: »Eins, zwei, drei. Mit mir vier, das passt.«

»Wie!?«, ruft Matilda. »Ich steige doch nicht in
diesen Blechhaufen!«

»Das ist kein Blechhaufen«, erwidert Bobbi
beleidigt, »sondern ein Raumgleiter der neuesten
Pimpelpup-Klasse!«

»Seht ihr«, sagt Matilda. »Pimpelpup-Klasse – das
sagt ja wohl alles!«

»Was heißt das eigentlich?«, fragt Kokosnuss.

»Das bedeutet in friedlicher Mission«, erklärt
Bobbi.

»Und wenn schon«, sagt das Stachelschwein.

»So eine Reise in eine andere Galaxie dauert mehrere Millionen Jahre und so alt können wir gar nicht werden.«

»Übertreib mal nicht«, brummt Oskar. »Mehrere Millionen Jahre, pfff.«

»Das kleine Stachelschwein hat recht«, sagt Bobbi. »Unsere Galaxie ist sogar mehrere Milliarden Lichtjahre[4] entfernt.«

»Oh«, murmelt Oskar.

»Ätschibätschi«, sagt Matilda.

»Aber die Reise in meine Galaxie dauert trotzdem nicht lange«, fährt Bobbi fort. »Durch eine Extradimension geht das blitzschnell.«

»Ätschibätschi«, sagt Oskar und wackelt mit den Ohren.

---

[4] Ein Lichtjahr ist die Strecke, die ein Lichtstrahl in einem Jahr zurücklegt. Und weil ein Lichtstrahl etwa 1,1 Milliarden km/h schnell ist, legt er in einem Jahr ungefähr 9,5 Billionen Kilometer zurück. Ein Lichtjahr sind also etwa 9,5 Billionen Kilometer, in Zahlen ausgedrückt: 9.500.000.000.000 km. Das ist ganz schön viel. Dagegen ist die Entfernung zwischen der Erde und dem Mond ein Klacks: Ein Lichtstrahl braucht dafür nur 1,3 Sekunden.

»Wow!«, staunt Matilda. »Aber wie kommen wir wieder zurück?«

»Über einen Transporterstrahl«, antwortet Bobbi. Oskar kratzt sich am Kopf. »Äh, könnten wir jetzt mal los? Ich bin nämlich ziemlich gespannt auf diese Sache.«

Kokosnuss blickt zu Matilda.

Das Stachelschwein wiegt den Kopf hin und her und sagt: »Okidoki!«

Reise in eine ferne Galaxie

Während Bobbi mit dem Laserphaser und einigen Ersatzteilen den Raumgleiter repariert, schauen Kokosnuss, Matilda und Oskar sich im Inneren des Raumgleiters um: Unten liegen der Maschinenraum und das Dock mit dem Sternenflitzer für kurze Expeditionen. Oben befindet sich die Kommandozentrale. Sie wird Brücke genannt. Bobbi, Kokosnuss und Matilda besetzen die Brücke und Oskar geht in den Maschinenraum. Bobbi nimmt auf dem Kapitänssessel Platz, drückt einen Knopf und spricht: »Freisprechanlage eingeschaltet. Maschinenraum kommen!« Aus dem Lautsprecher ist ein Rascheln zu hören und dann Oskars Stimme: »Wohin denn?«
»Oskar, du Eumel!«, ruft Matilda. »Wenn jemand über den Bordfunk ›Kommen!‹ sagt, dann heißt das, du sollst dich melden!«
»Ach so«, ertönt Oskars Stimme. »Hier alles paletti!«

»Bitte Treibstoffmenge angeben!«, sagt Bobbi.
»Öh, ich sag mal: Der Tank ist ziemlich voll. Aber
da ist kein Treibstoff drin. Das sieht eher aus wie
Pflaumen.«
»Das ist korrekt«, sagt Bobbi. »In unserer Galaxie
werden alle Raumschiffe mit Pflaumen angetrie-
ben. Das Fruchtfleisch enthält wertvolle Vitamine
sowie Zink und Kupfer. Und die Kernspaltung
setzt hohe Energie frei.«

Bobbi drückt einen Knopf. »Startsequenz ist eingeleitet. Alle auf Position und anschnallen! Kurs 1.2, Geschwindigkeit 0,2 Mioknorpsel.«

»Kurs 1.2, Roger[5]«, sagt Matilda und stellt am Navigations-Computer den Kurs ein.

»0,2 Mioknorpsel, Roger«, sagt Kokosnuss und betätigt den Tempo-Regler.

Leise surrend hebt der Raumgleiter vom Strand der Dracheninsel ab.

Beinahe lautlos durchquert er die Erdatmosphäre und erreicht nach wenigen Sekunden die letzten Luftschichten. Das Blau des Himmels wird immer blasser und bald tritt die Maschine in den Weltraum ein.

Kokosnuss, Matilda und Oskar, der einen Kurzbesuch auf der Brücke macht, blicken durch die Fenster. Wie viele Sterne hier zu sehen sind! Und wie riesig die Erde ist! Und wie schön blau und grün sie schimmert!

»Oskar«, sagt Bobbi. »Für den Übergang in die

---

[5] »Roger!« wird »Rodscher« ausgesprochen und bedeutet im Flugverkehr »Verstanden!«

Extradimension brauchen wir mehr Treibstoff.
Ventil bis 3 öffnen!«

»Geht klar«, sagt Oskar und macht sich auf den
Weg in den Maschinenraum.

»Code 2 CX, Kurs 329, Geschwindigkeit
Knorp 0,5[6].«

»Knorp 0,5«, sagt Kokosnuss. »Ist das schnell?«

»Jö«, antwortet Bobbi. »Zweieinhalb Millionen
mal schneller als eben.«

»Uiii«, flüstert Matilda.

Der Raumgleiter geht auf Kurs. Die Erde scheint
davonzuzischen und die Sterne kommen näher,
immer schneller, bis sie wie unzählige gleißend
helle Linien vorübersausen.

Der Raumgleiter erzittert. Im großen Fenster
erscheint in weiter Ferne ein schwarzes Loch.

»W-was ist das?«, fragt Matilda.

»Der Eingang zur Extradimension«, antwortet
Bobbi.

---

[6] »Knorp« heißt die Geschwindigkeits-Einheit der Bewohner von Zitterpappel. Knorp 1 ist 100 millionenfache Lichtgeschwindigkeit. Wenn es
tatsächlich ein Raumschiff gäbe, das mit Knorp 4 fliegt, würde es ungefähr
1 Mio. Lichtjahre am Tag schaffen.

Schnell wird das schwarze Loch größer. Plötzlich
sind die Sterne verschwunden und das Raum-
schiff gleitet in eine völlige Finsternis.
»Wo sind wir jetzt?«, fragt Kokosnuss.
»In einem gekrümmten Raum«, antwortet Bobbi.
»Es ist eine Abkürzung. Gleich treten wir in
meine Galaxie ein.«
Da meldet sich Oskar: »Hier Maschinenraum.
Wo sind denn die ganzen Sterne geblieben? Erst
so viele und jetzt überhaupt keiner mehr!«
Wieder durchfährt den Raumgleiter ein Zittern
und vor ihnen liegt eine mächtige Galaxie mit
Milliarden von Sternen.
»Ah, alles klar«, ertönt Oskars Stimme. »Hat sich
schon erledigt.«
»Ui«, staunt Kokosnuss. »Ist das deine Galaxie?«
»Genau«, sagt Bobbi. »Maschinenraum, bitte
Ventil bis 6 öffnen!«
»Geht klar, Käpt'n!«, sagt Oskar.
»Kurs 3.4 Zip, Geschwindigkeit Knorp 5.«

Die Raumfahrer werden in ihre Sitze gedrückt
und die Sterne rasen in einem irrwitzigen Tempo
auf sie zu. Kokosnuss und Matilda blicken ängstlich auf den Hauptbildschirm.
»Keine Sorge«, sagt Bobbi. »Wir fliegen nur
500 millionenfache Lichtgeschwindigkeit. Zitterpappel liegt gleich im ersten Quadranten.«

»A-aber«, stottert Matilda, »das ist doch ziemlich schnell. Wir könnten gegen einen Stern prallen oder in einen Asteroidenschwarm[7] geraten.«
»Der Raumgleiter verfügt über ein Anti-Kollisions-Programm und weicht allen Hindernissen automatisch aus«, erklärt Bobbi.

[7] Asteroiden (Aussprache: Astero-iden) sind Objekte im Weltall. Manche sind klein wie Felsen, andere sind groß oder sehr groß. Sie werden auch Klein- oder Zwergplaneten genannt.

Da meldet sich Oskar über Funk: »Gibt's hier eigentlich ein Klo?«

»Dritte Tür links«, antwortet Bobbi.

»Ach, übrigens, hier blinkt so ein rotes Lämpchen. Und Pflaumen sind fast keine mehr da.«

»Wie?«, ruft Bobbi erschrocken und springt auf. »Das kann nicht sein!«

»Äh, ich hatte etwas Hunger«, sagt Oskar kleinlaut, »und die Pflaumen sahen so saftig aus. Und da dachte ich, die eine oder andere ist bestimmt nur eine Reservepflaume und wird gar nicht gebraucht.«

»Du hast von den Pflaumen gegessen?«, ruft Bobbi fassungslos.

»Na ja, äh, nicht so viele, höchstens ... ungefähr ... etwa ... wenn's hochkommt ... vielleicht unter Umständen circa hundert.«

Bobbi plumpst in seinen Sitz zurück. »Hundert«, flüstert er verzweifelt.

Der Planet Pflaume Zwo

Bobbi holt ein dickes Buch hervor. »Hier ist es: Pflaume Zwo, Quadrant 1, Koordinaten 2.3.«
»Wie?«, fragen Kokosnuss, Matilda und Oskar.
»Auf Pflaume Zwo gibt es Pflaumen. Bloß ...«
Bobbi lässt die Schultern hängen. »Ich weiß den Weg nicht. In Navigation[8] hatte ich eine Vier minus.«
»Zeig mal!«, sagt das Stachelschwein und schnappt sich das Buch.
Matilda liest eine ganze Weile, wippt nachdenklich mit dem Kopf, tippt etwas in den Computer und murmelt: »Faszinierend!«
»Wie?«, fragen Kokosnuss und Bobbi.
Matilda grinst und verkündet: »Kurs 4.6, Knorp 2. So kommen wir nach Pflaume Zwo. Und die Pflaumen reichen auch, bis wir dort sind.«

---

[8] Navigation bedeutet, zum Beispiel in der Seefahrt, mithilfe von Sternen, Karten und Geräten den eigenen Standort bestimmen oder den Kurs festlegen.

Bobbi blickt auf Matildas Bildschirm. »Potzpappelpup! Du bist ein Genie!«
»Spitze, Matilda!«, ruft Kokosnuss und geht auf Knorp 2.

Matildas Berechnungen stimmen genau und wenig später landet der Raumgleiter auf dem kleinen Planeten Pflaume Zwo.
Bobbi holt ein paar Obstkörbe hervor und sagt: »Alle raus zum Pflaumensammeln!«
So machen sich die vier Abenteurer auf, die Körbe zu füllen.
»Wo ist eigentlich Oskar?«, fragt Matilda.
Kokosnuss grinst. »Er ist hinter einen Busch gegangen, weil er zu viele von den Pflaumen genascht hat.«
In diesem Augenblick zischt etwas Großes über ihre Köpfe hinweg. Die Freunde ducken sich. Bobbi schaut misstrauisch in den Himmel.
Oskar kommt hinter dem Busch hervor und ruft: »Was war das denn?«

Plötzlich kommt Wind auf. Die Blätter der Pflaumenbäume schaukeln hin und her. Sand wirbelt auf.

Bobbi packt seinen Korb und schreit: »Die Pampelonen! Weg hier!«

Blitzschnell folgen die Freunde dem flüchtenden Bobbi zurück zum Raumgleiter.

»Schnell, füllt die Pflaumen in den Tank!«, ruft der Pappelaner.

Kaum haben alle ihre Plätze eingenommen, sehen sie durch das Fenster ein riesiges Saugrohr, das sich schnell nähert. Sein Saugstrom ist so stark, dass es Pflaumen und Blätter gleichermaßen in sich hineinzieht. Nur die kahlen Bäume bleiben stehen.

»W-was ist das?«, fragt Matilda mit zitternder Stimme.

»Der große Sauger!«, antwortet Bobbi und leitet die Startsequenz ein. »Knorp 4, Kurs 1.3!«

»Roger!«, rufen Kokosnuss und Matilda.

Der Raumgleiter hebt ab, doch der Luftstrom des Saugers hat ihn schon erreicht.

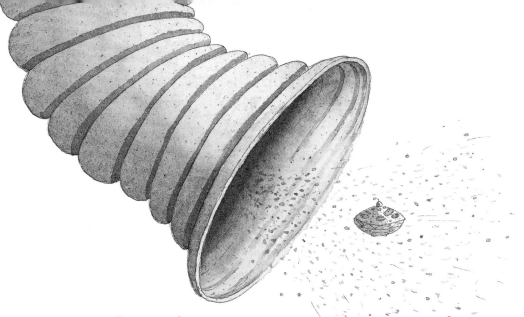

»Wir werden in den
Sauger gezogen!«, schreit Matilda.
Da hören sie Oskars Stimme: »Hier
Pflaumen-, äh, Maschinenraum. Soll ich
Pflaumen nachlegen?«
»So viel du kannst!«, ruft Bobbi ins Mikrofon.
»Kokosnuss, auf maximale Knorp-Geschwindig-
keit!«
Kokosnuss schiebt den Tempo-Regler ganz nach
vorn. Der Raumgleiter, der zusammen mit
Tausenden von Blättern und Pflaumen rückwärts
in das Rohr gezogen wird, heult auf und bewegt
sich wieder vorwärts.

»Wir schaffen es!«, ruft Kokosnuss.
Tatsächlich – gegen den gewaltigen Strom kämpft
sich der Gleiter aus dem Saugrohr heraus. Der
Gleiter steigt senkrecht auf und schießt in den
Weltraum hinaus.
»Kurs 1.3, runter auf Schleich 2[9]!«, sagt Bobbi.
Jetzt sehen sie im Hauptfenster einen grünen
Planeten, aus dem sich das riesige Saugrohr wie
eine lange Nase herausschlängelt.
»Die Grüne Pampelmuse«, flüstert Bobbi mit
zitternder Stimme.

[9] »Schleich« ist eine weitere Geschwindigkeitseinheit der Pappelaner.
Mit ihr werden langsame Geschwindigkeiten benannt.

Die Grüne Pampelmuse

»Grüne Pampelmuse?«, fragt Kokosnuss.
»Ein großer Asteroid«, erklärt Bobbi. »Er wurde
vor langer Zeit von den Bewohnern unserer
Galaxie zu einer galaktischen Müllabfuhr umge-
baut.«
»Eine Müllabfuhr?«, fragt Matilda.
»Ja, von Robotern gesteuert. Früher sammelten
sie mit ihrem großen Saugrohr den Müll unserer
Galaxie ein und verarbeiteten ihn zu Blumenerde
oder anderem nützlichen Material. Doch eines
Tages kam es zu einem Fehler im Computer-
system. Die Roboter gerieten außer Kontrolle.
Seitdem saugen sie alles auf, was ihnen in den
Weg kommt. Dadurch wird die Grüne Pampel-
muse immer größer und gefährlicher.«
»Ach du dickes Ei«, murmelt Kokosnuss.
»Hallo Leute«, meldet sich Oskar aus dem
Maschinenraum, »ich will ja nicht stören, aber
dieses Pampeldings hat den Kurs gewechselt.

Sieht ein bisschen so aus, als käme es auf uns zu.«

Tatsächlich, die Grüne Pampelmuse steuert auf den Raumgleiter zu!

»Alle Maschinen Stopp!«, ruft Bobbi. »Tarnkappe aktivieren! Code 007!«

»Aktiviert!«, sagt Matilda.

Auf dem Hauptbildschirm ist die Pampelmuse zu sehen. Kokosnuss, Matilda und Bobbi halten den Atem an. Die Pampelmuse kommt näher. Plötzlich verharrt sie. Der große Sauger bewegt sich erst zur einen Seite, dann zur anderen. Jetzt schwärmen kleine Raumjets aus.

»Die Jets der Pampelonen«, flüstert Bobbi. »Das sind die Roboter. Sie suchen uns. Wenn sie uns finden, senden sie unsere Position an den großen Sauger. Und dann werden wir ein-gesaugt.«

Zwei Raumjets kommen dem Gleiter sehr nahe. Die Freunde sind mucksmäuschenstill. Kurz vor ihnen halten die Pampelonen an. Langsam bewegen sie sich hin und her.

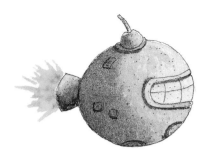

Ganz leise fragt Matilda: »Und die können uns nicht sehen?«

»Mit der Tarnkappe sind wir unsichtbar«, flüstert Bobbi.

»Sollten wir nicht ausweichen?«, fragt Kokosnuss leise.

»Wir dürfen uns nicht bewegen. Das könnten die Pampelonen bemerken, trotz der Tarnkappe. Außerdem würden ihre Sensoren sofort die Hitze unserer Triebwerke anzeigen.«

Doch die Raumjets kehren zu der Grünen Pampelmuse zurück.

»Puh!«, seufzen Kokosnuss und Matilda erleichtert.

»Noch mal gut gegangen!«, ruft Bobbi freudig.

»Auf nach Hause! Kurs 3.4!«

Der Raumgleiter nimmt Kurs auf Bobbis Heimat-
planeten Zitterpappel.

»Merkwürdig«, sagt Matilda und blickt von ihrem
Computer auf.

»Was meinst du?«, fragt Kokosnuss.

»Vor uns fliegt etwas Großes in dieselbe Richtung.«

Bobbi spitzt die Ohren und sagt: »Auf den
Hauptschirm!«

Auf dem großen Bildschirm erscheint die Grüne
Pampelmuse. Bobbi erschrickt. Sie fliegt nur
ungefähr 600 000 Lichtjahre vor ihnen.

»Oh nein! Sie bewegt sich auf Zitterpappel zu!
Mein Planet ist in Gefahr!«

»Können wir denn nichts gegen die Pampelmuse
unternehmen?«, fragt Kokosnuss. »Vielleicht
ihren Computer umprogrammieren?«

»Dazu müssten wir in das Innere der Pampelmuse gelangen«, sagt Bobbi. »Das können wir
vergessen. Schon auf der Grünen Pampelmuse zu
landen, ist unmöglich. An dem großen Sauger
kommt niemand vorbei!«

Kokosnuss hat eine Idee. »Habt ihr noch den Bauplan der Pampelmuse?«

»Ja, der ist im Computer gespeichert, wieso?«

»Und könnte ich mir den Helm mit Düsenantrieb ausleihen?«

»Schon, aber wozu brauchst du den denn?«

Kokosnuss klatscht in die Pfoten.

»Ich weiß, wie wir die Pampelonen überlisten können! Durch Ablenkung und Überraschung!«

»Ablenkung und Überraschung?«, wiederholen Matilda und Bobbi.

»Ganz einfach«, sagt Kokosnuss. »Ich fliege in den Sauger hinein, lande im Inneren der Pampelmuse und programmiere den Computer um.«

»Kommt gar nicht in die Tüte!«, antwortet Bobbi. »Wenn einer in die Pampelmuse fliegt, dann ja wohl ich.«

»Geht nicht«, erwidert Kokosnuss. »Du musst den Raumgleiter auf der Pampelmuse landen, denn das kann niemand anderes.«

»Auf der Pampelmuse landen?«, fragt Bobbi.

»Die Pampelonen werden nur auf mich achten. Dann könnt ihr heimlich auf der Pampelmuse landen, um mich abzuholen.«

»Hm«, murmelt Bobbi nachdenklich. »Aber den Computer neu zu programmieren, ist nicht so einfach.«

»Ihr könntet mich über Funk anleiten«, schlägt der kleine Drache vor.

»Ich weiß nicht«, sagt Matilda. »Das könnte auch schiefgehen.«

»Ich finde den Plan prima!«, meldet sich Oskar über den Bordfunk und legt Pflaumen nach, damit sie die Pampelmuse einholen können.

Im Inneren der Pampelmuse

Wenig später schießt der Raumgleiter auf die Pampelmuse zu. Oskar ist vom Maschinenraum zur Brücke gewechselt und nimmt Kokosnuss' Platz ein. Kokosnuss hat den Helm mit Düsenantrieb angelegt und betritt die Schleuse zum Ausgang.

Über den Bordfunk meldet Matilda: »Die Pampelmuse hat uns bemerkt!«

Auf dem Hauptbildschirm sehen sie den riesigen Sauger.

»Oje«, murmelt Oskar. »Das sieht nicht gut aus.«
»Tarnkappe aktivieren!«, sagt Bobbi. »Kokosnuss, abdocken! Ab jetzt absolute Stille!«

Kokosnuss öffnet die Außentür. Vor Aufregung kribbelt es in seinem Drachenbauch wie Tausend Ameisen. Vor ihm liegt der Weltraum! Er schaltet den Düsenantrieb ein und schwebt hinaus. Hier herrscht völlige Schwerelosigkeit und er fühlt sich ganz leicht. Doch plötzlich kommt er sich winzig und verloren vor in den unendlichen Weiten des Universums.

Da – jetzt ist der Raumgleiter hinter ihm unsichtbar! Matilda hat die Tarnkappe aktiviert. Und dort vor ihm – das riesige Saugrohr! Es bewegt sich hin und her, als wüsste es nicht, wohin. Es sieht aus wie ein gigantischer Wurm mit einem offenen Maul. Kokosnuss läuft ein Schauer über den Rücken. Er düst vom Raumgleiter weg.

Hoffentlich klappt mein Plan, denkt der kleine Drache.

Jetzt hat er doch ein wenig Angst. Was, wenn die Pampelonen ihn gar nicht bemerken?

In diesem Moment erfasst ihn ein mächtiger Saugstrom.

Kokosnuss wird in das Saugrohr hineingezogen, immer schneller und schneller, genau, wie er es geplant hat!

»Kokosnuss, kommen!«, meldet sich Bobbi über Funk. »Du musst mit den Düsen gegen den Saugstrom anfliegen, sonst zerschellst du im Inneren des Asteroiden!«

»Roger!«, antwortet Kokosnuss. Er legt sich mit den Füßen voran in den Saugstrom und bremst mit den Feuerdüsen.

Zur gleichen Zeit, als Kokosnuss im riesigen Schlauch des Planeten Pampelmuse verschwindet, bewegt sich der unsichtbare Raumgleiter auf die andere Seite des Asteroiden.

»Es klappt«, flüstert Matilda und setzt zur Landung an. »Die Pampelonen sind abgelenkt.«

Kokosnuss' Düsen bremsen zwar etwas, doch er rast noch sehr schnell durch den Schlauch. Der kleine Drache schaut nach vorn.

Vielleicht kann ich sehen, wo es hingeht, denkt er. Wie es wohl aussieht, im Inneren des Asteroiden? Werde ich den Computer finden?

In diesem Augenblick rauscht er – Krawusch! – in einen riesigen, weichen Berg von Pflaumen und Blättern hinein. Glück gehabt! Er stellt die Düsen ab. Es ist dunkel und von irgendwoher dringt das Rumoren von Maschinen.

Die Müll-Anlage, denkt Kokosnuss. Bloß weg von hier!

Mühsam kämpft er sich aus dem Pflaumen-Blätter-Berg heraus.

Da hört er Matildas Stimme über Funk flüstern: »Kokosnuss, wir sind auf der Pampelmuse gelandet, mit Tarnkappe. Bist du in Ordnung?«

»Alles paletti«, antwortet Kokosnuss. »Empfängst du mein Signal?«

Matilda sieht Kokosnuss' Sendesignal auf ihrem Bildschirm.

»Klar und deutlich«, sagt das Stachelschwein. »Du musst jetzt die Tür zum Hauptflur finden!«

»Nimm dich in Acht vor den Pampelonen!«, sagt Bobbi. »Es sind kleine, kugelige Roboter. Sie werden bestimmt auf jeden Eindringling schießen!«

»Äh, oh«, sagt Kokosnuss. »Womit schießen die denn?«

»Mit Pampelklöpsen.«

»Pampel- was?«, meldet sich Oskar.

»Mit Pampelklöpsen«, wiederholt Bobbi. »Die stellen sie aus dem Müll her. Pampelklöpse sind grün und klebrig. Sie können deine Antriebs- düsen verkleben.«

»Oh«, sagt Kokosnuss. »Okay, ich passe auf!«

46

Nachdem der kleine Drache die Tür gefunden hat, leitet Matilda ihn über Funk durch viele Flure bis in das Innere des Planeten. Er hat Glück, denn kein Pampelone kreuzt seinen Weg. Wenig später steht er vor dem zentralen Computer der Grünen Pampelmuse.

Die Pampelonen kommen

Kokosnuss blickt auf den Bildschirm. »Da ist ein Plan mit vielen Räumen und Gängen. In der Mitte ist ein roter Punkt. Und ich sehe einen grünen Punkt, der sich auf den roten Punkt zubewegt.«

»Der rote Punkt bist du«, erklärt Bobbi. »Der grüne Punkt ist ein Pampelone.«

»Oh«, sagt Kokosnuss und blickt sich um.

»Du musst dich beeilen«, ruft Matilda. »Der ist gleich bei dir!«

Oskar blickt durch ein Fenster und sagt: »Da draußen fliegen wieder diese Pampelbohnen herum.«

»Oh nein!«, ruft Matilda. »Sie suchen uns!«

»Den Raumgleiter können sie nicht sehen«, sagt Bobbi, »aber sie orten das Funksignal. Ich lenke sie mit dem Sternenflitzer ab!«

Der Pappelaner flitzt ins untere Deck, springt in den Sternenflitzer und startet. Kaum fliegt er aus dem Raumgleiter heraus, wird er sichtbar.

»Bobbi!«, ruft Matilda. »Die Pampelonen
verfolgen dich!«

»Ich kann zwar nicht gut landen«, sagt Bobbi
über Funk, »aber im Sternenflitzerflug bin ich
Klassenbester!«

Der Pappelaner zischt im Zickzack über die Ober-
fläche der Grünen Pampelmuse hinweg, dicht
gefolgt von mehreren Raumjets der Pampelonen.
Da meldet sich Kokosnuss: »Was soll ich jetzt
mit diesem Computer machen?«

Matilda wendet sich wieder ihrem Bildschirm zu.
»Geh in das Menü ›Einstellungen‹!«

Kokosnuss berührt das Symbol für Einstellungen
auf dem Bildschirm.

»Auweia, jetzt erscheinen lauter Symbole und Wörter.«

»Ruhig bleiben!«, sagt Matilda.

In diesem Moment hört Kokosnuss ein zischendes Geräusch: die Tür! Der kleine Drache wendet sich um und erschrickt. Ein kugelförmiger Roboter schwebt in den Raum und stellt sich bedrohlich vor Kokosnuss auf. Der Pampelone! Er ist etwas kleiner als Kokosnuss, hat metallene Arme und Greifer, kleine Knopfaugen und anstelle eines Mundes bunte Lämpchen.

»Der Pampelone ist jetzt hier«, flüstert Kokosnuss. »Und der sieht nicht freundlich aus. Was soll ich machen?«

»Hau ihm eins auf die Birne!«, ruft Oskar.

»Bloß nicht«, warnt Matilda.

Der Pampelone nähert sich und sagt: »Kapappel knöcki pupu!«

»Ähm, ich heiße Kokosnuss«, sagt Kokosnuss.

Der Pampelone schüttelt sich und sagt: »Hippi di papaknacki di ratzipatzi!«

»Ratzipatzi klingt nicht gut«, meldet sich Oskar.

»Papaknacki aber auch nicht«, sagt Matilda.

Da fällt Kokosnuss etwas ein. Laut sagt er:

»Pimpelpup!«

Der Pampelone weicht zurück und wiederholt:

»Pimpelpup?«

Doch dann schüttelt er sich wieder und plötzlich
fährt ein gebogenes Rohr aus seiner Oberseite.
Die Öffnung zeigt auf Kokosnuss und der
Pampelone ruft: »Schnippel di pimpel di popo-
klatsch!«

»I-ich glaube«, stottert Kokosnuss, »der will auf mich schießen.«

»Ich hab's!«, ruft Matilda. »Du musst den Computer über die Systemsteuerung neu konfigurieren. Das Passwort findest du an der Unterseite der Konsole. Dann drückst du zehn Sekunden lang den roten Knopf!«

»Wie? Wie soll ich das denn alles machen?« Kokosnuss ist verzweifelt.

In diesem Moment schießt eine grüne, klebrige Masse aus dem Rohr des Pampelonen. Ein Pampelklops! Blitzschnell geht Kokosnuss in Deckung. Der Klops geht daneben. Doch der Pampelone feuert weitere Klöpse ab. Der kleine Drache düst kreuz und quer durch den Raum. Geschickt weicht er allen Klöpsen aus.

»Ich komme nicht mehr an die Tastatur!«, ruft er außer Atem.

Da meldet sich Oskar: »Zieh doch einfach den Stecker raus!«

»Aber«, erwidert Matilda, »dann kann alles Mögliche passieren!«

»Besser als die Klöpse!«, ruft Kokosnuss und fliegt hinter den Computer.
Der Pampelone schwebt wütend auf ihn zu. Sein Klöpse-Schießrohr richtet sich auf den kleinen Drachen. Im selben Augenblick zieht Kokosnuss den Hauptstecker.

Auf nach Zitterpappel!

Mit einem Mal verlöscht das Licht. Die Müllmaschine verstummt. Der Pampelone sinkt auf den Fußboden und erstarrt. Seine Lämpchen erlöschen.

»Was passiert da?«, fragt Matilda.

»Warte!«, antwortet Kokosnuss und führt den Stecker wieder ein.

Nach und nach gehen die Lichter an. Dann ertönt das Rumoren der Müll-Anlage. Kokosnuss blickt ängstlich auf den Pampelonen. An dem kleinen Roboter, der eben noch starr und ausgeschaltet war, leuchten Lämpchen auf, erst wenige, dann immer mehr. Plötzlich beginnt er zu schweben und sieht sich um. Als er Kokosnuss erblickt, blinkt eine Reihe farbiger Lämpchen auf. Das Schießrohr wird eingefahren, der Pampelone winkt mit dem Greifer und sagt: »Jöppi Jöppi!« Kokosnuss atmet erleichtert aus und antwortet: »Jöppi Jöppi!«

Da fährt an der Unterseite des Roboters ein
Schlauch heraus und ein leises Summen ertönt.
Der Pampelone beginnt, mit dem Schlauch-Ende
über den Boden und in die Ecken des Raumes
zu gleiten.
»Kokosnuss, melde dich, was passiert dort?«, ruft
Matilda aufgeregt.
»Der Pampelone staubsaugt«, antwortet Kokos-
nuss.
»Wie bitte?«, fragt das Stachelschwein verblüfft.
»Er hat mich freundlich begrüßt und saugt jetzt
die ganzen Pampelklöpse wieder ein.«
»Sauber!«, ruft Oskar ins Mikrofon. »Dann
können wir die Tarnkappe ausschalten, um
Energie zu sparen.«

Über Funk führt Matilda Kokosnuss aus dem
Inneren des Asteroiden heraus. Und gerade als
der kleine Drache per Düsenantrieb die Ober-
fläche erreicht, kommt Bobbi in seinem Sternenflitzer angesaust und ruft atemlos: »Leute,
warum habt ihr die Tarnkappe ausgeschaltet?
Die Pampelonen sind hinter mir her!«
Da tauchen die Raumjets der Pampelonen auf.
Sie kommen dem Raumgleiter bedrohlich nah,

doch plötzlich drehen sie bei und gleiten durch
eine Öffnung in das Innere der Pampelmuse.
Bobbi staunt: »Was ist denn jetzt passiert?«
»Kokosnuss hat den Pampelonen-Computer neu
gestartet«, antwortet Matilda. »Die Pampelonen
sind wieder friedlich.«

»Der eine hat sogar gestaubsaugt«, berichtet
Oskar.
In diesem Moment beobachten sie, wie der
große Sauger eingefahren wird und im Inneren
der Pampelmuse verschwindet.
»Bravo!«, ruft Bobbi erleichtert. »Die Grüne
Pampelmuse ist wieder eine Müllabfuhr! Das
müssen wir unbedingt auf Zitterpappel berichten!
Ab nach Hause!«

Kokosnuss und Bobbi gehen an Bord. Mit
maximaler Knorp-Geschwindigkeit fliegt der
Raumgleiter zum Planeten Zitterpappel. Bobbis
Heimatplanet ist mit grünen Hügeln, Wäldern
und Feldern bedeckt. Auf einem der Hügel steht
der Hof von Bobbis Eltern. Es sind mehrere eiför-
mige Gebäude unter drei hohen Zitterpappeln.
Bobbi hat ein schlechtes Gewissen.
Was wird nur mein Papa sagen, wenn er die
ganzen Beulen an dem Raumgleiter sieht?
Diesmal gelingt ihm die Landung. Ganz sanft setzt
Bobbi den Raumgleiter auf der Wiese vor dem

Hof auf. Kaum sind die Triebwerke abgeschaltet,
kommen zwei große Pappelaner herbeigelaufen:
Bobbis Eltern.

»Bleibt lieber erst mal drinnen«, sagt Bobbi zu
Kokosnuss, Matilda und Oskar. Er springt hinaus
und ruft: »Jöppi Jöppi!«

Seine Mutter schließt ihn in die Arme. Der Vater
aber blickt grimmig auf die Beulen und geflickten
Stellen des Raumgleiters. Streng brummt er:
»Bobbipuzzipappele nulli nulli! Papa rappel di
knick knack!«

Bobbi hebt die Arme, wackelt mit der Nase und
sagt: »Knickeli musepampel acki acki papim-pipi
knulli!«

»Musepampel papim-pipi knulli?!«, wiederholen die Eltern beunruhigt.

»Jöppi!«, antwortet Bobbi.

»Pappele daggi daggi ma Kokosnüssli Matildili Oski ocki ocki di pipi-pulli knacki di wums!«

»Knacki di wums?«, wieder-holen die Eltern erstaunt.

»Knacki di wums musepampel pimpelpup!«, sagt Bobbi stolz.

»Musepampel pimpelpup?«, rufen die Eltern aufgeregt.

Der Vater rennt eilig ins Haus, um über Planeten-Funk bekannt zu geben, dass die Grüne Pampel-muse wieder friedfertig ist und die Pampelonen nun wieder ihrer Arbeit als Müllroboter nachgehen.

Da ruft Bobbi: »Ihr könnt kommen!«

Als Kokosnuss, Matilda und Oskar aus dem Raumgleiter heraustreten, macht Bobbis Mutter große Augen.

»Jöppi Jöppi!«, sagt Kokosnuss.

»Jöppi Jöppi«, erwidert die Mutter und lacht.

»Sie freut sich, dass du unsere Sprache sprichst«, erklärt Bobbi.

»Nur ein ganz kleines bisschen«, sagt Kokosnuss schüchtern.

Die Nachricht von der reparierten Pampelmuse verbreitet sich rasch auf Zitterpappel. Und als die Grüne Pampelmuse den Planeten erreicht und tatsächlich wie früher den Müll einsammelt, werden Bobbi, Kokosnuss, Matilda und Oskar gefeiert wie Helden.

Am Abend heißt es Abschied nehmen und Bobbi begleitet die drei Freunde zum Hyper-Transport-Raum. Von dort können sie hyperschnell zur Erde zurückreisen.

»Ich schließe von außen die Tür«, erklärt der kleine Pappelaner. »Dann betätige ich den Transporter-Strahl. Ihr müsst ganz ruhig bleiben.«

»Wieso sollten wir denn nicht ruhig bleiben?«, fragt Matilda misstrauisch.

»Na ja, es kribbelt etwas. Und um durch Raum und Zeit gehen zu können, müsst ihr aufgelöst werden – wie eine Tablette in Wasser.«

»Wie bitte?«, ruft Matilda empört. »Ich will aber nicht wie eine Tablette aufgelöst werden!«

»Keine Sorge«, sagt Bobbi. »Auf der Drachen-insel seid ihr dann wieder genau wie vorher.«

So verabschieden sich die Freunde von Bobbi und betreten den Transporter-Raum.

»Gute Reise!«, sagt der Pappelaner, verschließt die Tür und aktiviert den Transporterstrahl. Kokosnuss, Matilda und Oskar spüren tatsächlich ein Kribbeln, so wie es kribbelt, wenn ein einge-schlafener Fuß wieder durchblutet wird. Und plötzlich sind die drei Abenteurer ganz und gar verschwunden.

Zurück auf der Dracheninsel

»Iiiihhh – das kitzelt!«, ruft Oskar, als die drei
wieder auf der Dracheninsel auftauchen.
Die Freunde schauen sich um: Sie stehen genau
dort, wo Bobbi seine Bruchlandung hingelegt
hat. Nur, davon ist keine Spur zu sehen, nicht
einmal der kleinste Krater im Sand.
»Seht mal«, ruft Matilda. »Unsere Palme steht
wieder!«
»Die war doch platt wie ein Pfannkuchen«, sagt
Oskar. »Wer hat die denn wieder so gut hinge-
dengelt?«

»Hm«, murmelt Kokosnuss. »Und da stehen unsere Gläser voll Kokosmilch. Die hatten wir doch schon ausgetrunken. Merkwürdig.«

»Da!«, ruft Oskar. »Eine Sternschnuppe!«

Die Freunde kneifen die Augen zusammen und wünschen sich etwas, jeder für sich und heimlich.

»Da!«, ruft Kokosnuss. »Noch eine!«

Diesmal ist es eine Sternschnuppe mit einem großen, hellen Schweif.

»Ui!«, staunt Matilda. »Die leuchtet aber lange!«

»Die hört ja gar nicht mehr auf«, sagt Oskar.

Kokosnuss springt auf und ruft: »Die kommt auf uns zu!«

Tatsächlich – die Sternschnuppe ist gar keine Sternschnuppe, sondern ein unbekanntes Flugobjekt. Fast lautlos rast es auf die Dracheninsel zu.

»In Deckung!«, schreit Kokosnuss.

Die Freunde springen hinter einen Felsen. Das Flugobjekt landet leise zischend neben der Palme. Es ist Bobbis Raumgleiter, samt Beulen und Dellen! Die Luke öffnet sich und Bobbi selbst springt heraus.

»Jöppi Jöppi, Leute! In all der Aufregung hatte
ich ganz vergessen, ein Erinnerungsfoto für mein
Album zu machen.«

Kokosnuss, Matilda und Oskar kommen hinter
dem Felsen hervor.

»Bitte recht freundlich gucken und ›Schneebesen‹
sagen!«, ruft Bobbi.

»Schneeeeebeeesen!«, sagen Kokosnuss, Matilda
und Oskar.

»Besten Dank!«, sagt der Pappelaner und will
schon wieder in den Raumgleiter klettern, da hält

er inne, zieht seinen Laserphaser und überreicht ihn Kokosnuss.

»Der ist für euch, als kleines Dankeschön, dass ihr mir geholfen habt! Man kann damit Dinge reparieren und durch die Zeit reisen.«

»Durch die Zeit reisen?«, wiederholt Kokosnuss verblüfft.

»Ja, ihr müsst nur das Jahr eingeben, eng beisammen stehen und den roten Knopf drücken!«

»Eine Frage noch«, sagt Kokosnuss. »Hast du die Palme wieder aufgerichtet?«

»Die Palme?«, fragt Bobbi. »Ach so, nein, ihr seid kurz vor meiner Bruchlandung wieder hier gewesen, kleiner Zeitsprung, hihi.«

»Aber«, sagt Matilda, »wenn die Bruchlandung noch nicht stattgefunden hat, wo hat der Raumgleiter dann die Beulen her. Und wann findet die Bruchlandung denn statt?«

»Sie hat schon stattgefunden, nur auf einer anderen Zeitebene«, antwortet Bobbi und springt in den Raumgleiter. »Hat mich gefreut, eure Bekanntschaft zu machen. Jöppi Jöppi!«

Er schließt die Luke und rauscht hinauf in den Sternenhimmel. Kokosnuss, Matilda und Oskar schauen dem Raumgleiter nach.

»Was meint er denn mit einer ›anderen Zeitebene‹?«, fragt Matilda.

»Hab ich auch nicht verstanden«, sagt Kokosnuss. Oskar nimmt einen Schluck von der Kokosmilch und sagt: »Lecker! Auch wenn ich die schon mal getrunken habe, auf einer anderen Ebene.«

»Kokosnuss!«, hören sie plötzlich eine tiefe Stimme rufen.

Kokosnuss' Vater Magnus stapft über den Strand. »Da seid ihr ja!«, sagt der große Feuerdrache. »Wir suchen euch schon überall. Habt ihr die große Sternschnuppe gesehen? Sie muss hier irgendwo gelandet sein.«

»Das war Bobbi vom Planeten Zitterpappel«, sagt Kokosnuss.

»In einem Raumgleiter«, sagt Matilda.

»Schon zum zweiten Mal«, sagt Oskar. »Beim ersten Mal hat er eine Bruchlandung hingelegt, aber auf einer anderen Zeitebene.«

»Soso«, brummt Magnus. »Planet Zitterpappel, Raumgleiter, Zeitebene, verstehe. Jetzt wird's aber Zeit für euch, ab ins Bett!«

»Dürfen Oskar und Matilda heute bei uns übernachten?«, fragt Kokosnuss und steckt den Laserphaser unauffällig in seine Tasche.

»Aber klar«, sagt Magnus.

Und als die drei Freunde es sich in der Drachenhöhle unter Kokosnuss' Bettdecke gemütlich gemacht haben, holt der kleine Drache den Laserphaser hervor und flüstert: »In welche Zeit würdet ihr am liebsten einmal reisen?«

»In die Steinzeit!«, antwortet Matilda und Oskar nickt.

Foto: privat

Ingo Siegner, 1965 geboren, wuchs in Großburgwedel auf.
Schon als Kind erfand er gerne Geschichten. Später brachte
er sich das Zeichnen bei. Mit seinen Büchern vom kleinen
Drachen Kokosnuss, die in viele Sprachen übersetzt sind,
eroberte er auf Anhieb die Herzen der jungen LeserInnen.
Ingo Siegner lebt als Autor und Illustrator in Hannover.

Alle Kokosnuss-Abenteuer auf einen Blick: